La télé
de gran

Une histoire écrite par

Francine Labrie

et illustrée par

Marc Mongeau

À tous mes amis musiciens

Flo

Catalogage avant publication de Bibliothèque et Archives nationales du Québec et Bibliothèque et Archives Canada

Labrie, Francine

La télévision de grand-papa

(Cheval masqué. Au pas)
Pour enfants de 6 à 10 ans.

ISBN 978-2-89579-462-2

I. Mongeau, Marc. II. Titre. III. Collection: Cheval masqué. Au pas.

PS8623.A332T44 2012 jC843'.6 C2012-940829-8
PS9623.A332T44 2012

Dépôt légal – Bibliothèque et Archives nationales du Québec, 2012
Bibliothèque et Archives Canada, 2012

Direction: Andrée-Anne Gratton
Révision: Sophie Sainte-Marie
Graphisme: Janou-Ève LeGuerrier

Nous reconnaissons l'aide financière du gouvernement du Canada par l'entremise du Fonds du livre du Canada (FLC) pour des activités de développement de notre entreprise.

Bayard Canada Livres inc. remercie le Conseil des Arts du Canada du soutien accordé à son programme d'édition dans le cadre du Programme des subventions globales aux éditeurs.

Cet ouvrage a été publié avec le soutien de la SODEC. Gouvernement du Québec – Programme de crédit d'impôt pour l'édition de livres – Gestion SODEC.

Bayard Canada Livres
4475, rue Frontenac, Montréal (Québec) H2H 2S2
Téléphone : 514 844-2111 ou 1 866 844-2111
edition@bayardcanada.com
bayardlivres.ca

Imprimé au Canada

Visite des grands-parents à Selwyn 2013.02.01

Chapitre 1

LE JOUR DE L'AN

Quand j'étais jeune, j'aimais beaucoup aller chez mes grands-parents, à Saint-Ours. Mais ce que j'aimais par-dessus tout, c'était y aller au jour de l'An.

Toute la famille s'y retrouvait : oncles, tantes, cousins, cousines. Nous étions trente, quarante, parfois plus.

Ma grand-mère cuisinait un festin. Mon grand-père offrait des « petits remontants* ». Il jouait de l'accordéon. On dansait, on chantait. J'aurais voulu que cette journée ne finisse jamais.

* Verres d'alcool.

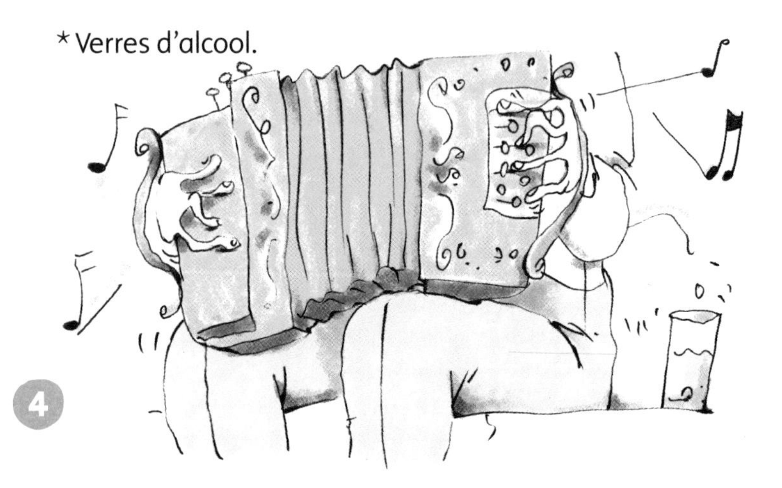

Je me souviens surtout de l'année de mes sept ans. Le jour de l'An au matin, nous avons reçu la bénédiction de grand-papa. Ensuite, nous avons déballé nos étrennes*. C'est alors qu'un visiteur inattendu a fait son entrée.

* Cadeaux.

C'était mon grand-oncle Léo. On ne le voyait pas souvent ! Il habitait aux États-Unis, et sa femme ne parlait que l'anglais.

Léo avait beaucoup d'argent et il voulait qu'on le sache. Il parlait fort et il prenait toute la place.

— J'ai une surprise, a-t-il déclaré. Venez m'aider !

Avec l'aide de mes oncles, il a sorti une énorme boîte de sa voiture.

— C'est pour toi, Rosario. Je t'ai acheté un cadeau !

Nous étions très surpris. Habituellement, les cadeaux étaient réservés aux enfants. Les grandes personnes ne s'en donnaient pas. En plus d'être étonné, grand-papa semblait bien gêné !

Chapitre 2

LE CADEAU

Mes oncles ont ouvert la boîte. Elle contenait un meuble en bois, à peu près de ma taille. Sur le devant, on pouvait voir deux boutons et une vitre grise.

Je ne savais pas ce que c'était. Mon père, lui, le savait. Il s'est exclamé :

— Charles, Philippe, c'est une télévision !

Mon frère Philippe et moi nous sommes regardés.

En 1954, nous avions entendu parler de la télévision, mais nous n'en avions jamais vu. Ça coûtait très cher. Les gens de Saint-Ours n'étaient pas riches. Personne n'y avait acheté de télé encore. Mon grand-père venait de recevoir la première du village !

Léo a vanté les mérites de son présent :

— Fini les soirées à t'ennuyer ! Tu vas pouvoir suivre le progrès, mon Ti-Bé !

Ti-Bé était le surnom de mon grand-père.

Il y avait une seule prise de courant dans le salon. Nous avons branché l'appareil et nous avons attendu qu'il se réchauffe. Après quelques temps, une tête d'Indien est apparue.

Nous étions déçus. Philippe a dit :

— Est-ce qu'il faut s'amuser à compter les plumes ?

Tout le monde a ri, surtout grand-papa.

Un peu embarrassé, Léo a expliqué :

— Les émissions sont diffusées quelques heures seulement par jour. Le reste du temps, on voit juste l'Indien.

Ma grand-mère s'en est mêlée :

— Qu'il attende, l'Indien ! Ma dinde, elle, n'attendra pas.

Nous avons abandonné le cadeau dans le coin du salon. Je me trouvais plus chanceux avec mes beaux patins tout neufs !

Chapitre

3

LA SOIRÉE DU HOCKEY

Le samedi suivant, notre famille est revenue à Saint-Ours pour fêter l'Épiphanie*. Mon père avait hâte de regarder la télévision :

— Le hockey, Montréal contre Toronto, ça va être bon !

* Jour des Rois, le 6 janvier.

Après le souper, nous sommes tous allés au salon. Ma grand-mère hésitait :

— Je préfère laver la vaisselle !

Nous avons insisté. Elle a enlevé son tablier et elle a retouché sa coiffure avant de nous rejoindre. Elle pensait peut-être que les gens qu'on regardait à l'écran nous voyaient aussi.

Lorsque la tête de l'Indien est apparue, nous avons failli retourner dans la cuisine pour jouer aux cartes. Mon père nous a retenus :

— Ça commence !

On voyait de petits bonshommes tourner en rond. Ils se disputaient une rondelle que je distinguais mal. La télévision était en noir et blanc. La vraie vie, pour moi, était en couleurs !

Pourquoi regarder le hockey au lieu d'aller patiner avec mon frère et mes amis ?

Puis mes yeux se sont habitués à l'écran. J'ai reconnu l'uniforme des Canadiens de Montréal. Habituellement, mon père écoutait la description des parties à la radio. Je trouvais ça bien ennuyant ! Mais, là, je pouvais voir les joueurs !

Ils semblaient voler sur la glace. Ça paraissait si facile !

Quand Maurice Richard a compté un but, nous avons tous sauté de joie. Sauf mes grands-parents, qui avaient l'air un peu dépassé.

Mon cœur battait comme si c'était moi qui avais compté le but. Je m'imaginais sur la glace du Forum. J'étais hypnotisé !

Mon père nous a expliqué :

— On nous montre seulement la troisième période. Mais, un jour, on verra toute la partie !

Mon grand-père, lui, a hoché la tête.

— On n'aura plus le temps de jouer à la dame de pique*!

J'ai compris alors que le progrès ne le fascinait pas du tout. Grand-papa Ti-Bé était le seul du village à avoir une télévision et il était le seul à ne pas l'apprécier!

* Jeu de cartes.

UNE INVENTION UTILE

Tous les gens de Saint-Ours cherchaient à se faire inviter. L'un voulait regarder le hockey, l'autre le téléroman à la mode. Ma grand-mère les recevait avec son fameux sucre à la crème.

Certains soirs, ils étaient plus d'une dizaine !

Alors mon grand-père a eu une idée. Il a continué de recevoir ses voisins, mais il leur disait :

— Tu peux venir, mais apporte donc ton violon. Ça fait longtemps qu'on n'a pas joué !

Ou encore :

— Apporte donc ta guitare...

— Apporte donc ton harmonica...

Lorsque les émissions de la soirée étaient finies, on disait adieu à la tête d'Indien ! Ti-Bé éteignait la télévision, et en avant la musique !

Petit à petit, tous les amis de grand-papa se sont remis à jouer de leurs instruments. On venait chez lui de plus en plus pour la musique, de moins en moins pour la télévision.

Du salon, celle-ci s'est retrouvée au boudoir, puis sur la véranda.

À la fin de l'hiver, elle avait disparu.

J'ai demandé :

— Où est ta télévision, grand-papa ?

— Bof ! Je ne le sais pas vraiment. Elle prenait trop de place...

Ma grand-mère m'a expliqué :

— Ton grand-père est futé ! Il s'est servi de cette invention pour rassembler ses amis. Plusieurs possèdent maintenant une télévision. Mais ils continuent de nous rendre visite pour la musique. On passe de belles soirées !

J'ai finalement découvert le télé-viseur dans un coin de la grange. Il était plein de crottes de lapin. L'écran était brisé, et on voyait l'intérieur. Une poule y avait pondu et elle couvait ses œufs.

Avec les années, la télévision a pris de plus en plus de place dans nos vies. Elle nous apprend beaucoup de choses ! Mais, certains soirs, il m'arrive de penser à mon grand-père.

J'éteins alors le téléviseur et je prends ma guitare, je lis un bon livre ou bien je téléphone à un ami. Je me trouve bien chanceux d'avoir eu un grand-père comme le mien.

Grand-papa Ti-Bé, c'était un musicien et un rassembleur !

Voici les livres AU PAS de la collection :

- ☐ **Casse-toi la tête, Élisabeth!** de Sonia Sarfati et Fil et Julie

- ☐ **La bataille au sommet**
- ☐ **La bataille d'oreillers**
- ☐ **La grande bataille** de Katia Canciani et Julie Deschênes

- ☐ **La famille Machin-Chouette à la maison**
- ☐ **La famille Machin-Chouette en forêt**
- ☐ **La famille Machin-Chouette en ville** de Paule Brière et Rémy Simard

- ☐ **La soupe de grand-papa**
- ☑ **La télévision de grand-papa**
- ☐ **Le livre de grand-papa**
- ☐ **Un quêteux chez grand-papa** de Francine Labrie et Marc Mongeau

- ☐ **Le chat de madame Sonia** de Marie Christine Hendrickx et Louise Catherine Bergeron

- ☐ **Le monstre de Chambouleville** de Louise Tidd et Philippe Germain

- ☐ **Le père Noël a la varicelle** d'Andrée-Anne Gratton et Benoît Laverdière

- ☐ **Le roi Gédéon** de Pierrette Dubé et Raymond Lebrun

- ☐ **Mange ta soupe, Marlou!** de Marie Christine Hendrickx et Julie Cossette

- ☐ **Ma grand-mère Gaby — Ma petite-fille Flavie**
- ☐ **Mon frère Théo — Ma sœur Flavie**
- ☐ **Mon prof Marcel — Mon élève Théo** de France Lorrain et André Rivest

- ☐ **Marie-Ève, chasseuse de rêves** de Sonia Sarfati et Lou Victor Karno

- ☐ **Où est Tat Tsang?** de Nathalie Ferraris et Jean Morin

- ☐ **Plus vite, Bruno!** de Robert Soulières et Benoît Laverdière

- ☐ **Qui a volé le bâton de hockey** de Sharon Jennings et Jean Morin

- ☐ **Un crapaud sur la tête** de Stéphanie Déziel et Geneviève Després

- ☐ **Une histoire de pêche looooooooongue comme ça!** de Robert Soulières et Paul Roux

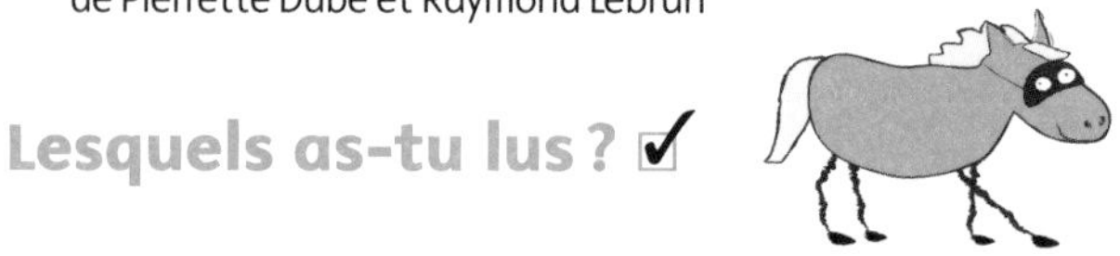

Lesquels as-tu lus? ☑